这是我的书
It's MY BOOK
7级：400字

我们的家园

乡村的日子

作者：秦志宁（Zhining Chin）
配图：秦志宁（Zhining Chin）

U0891711

北京语言大学出版社
BEIJING LANGUAGE AND CULTURE UNIVERSITY PRESS

PHOENIX TREE
PHOENIX TREE PUBLISHING INC.

识读 静 遍地 玉米 被
谈话 装 年级 完

句型 有的……，有的……

字数 401字

zhè shì yí gè níng jìng de xiāng cūn biàn dì zhǎng
这是一个宁静的乡村，遍地长
zhe zhuāng jia chūn tiān yǒu xiǎo mài xià tiān yǒu yù mǐ
着庄稼，春天有小麦，夏天有玉米
hé dà dòu zhēn ni yì jiā jiù zhù zài zhè li
和大豆。珍妮一家就住在这里。

zhēn ni jiā de fáng zi bú dà jiā li hái
珍妮家的房子不大，家里还
zhù zhe bà ba mā ma gē ge hé dì di
住着爸爸、妈妈、哥哥和弟弟。
zhēn ni hé gē ge de xué xiào hěn yuǎn kāi chē yào
珍妮和哥哥的学校很远，开车要
hěn cháng shí jiān cái néng dào měi tiān zǎo shang xiào
很长时间才能到。每天早上，校
chē dōu huì lái jiē tā men qù shàng xué zhēn ni shàng
车都会来接他们去上学。珍妮上
sān nián jí gē ge shàng liù nián jí
三年级，哥哥上六年级。

bái tiān mā ma zài jiā zhào kàn dì di

白天，妈妈在家照看弟弟，

bà ba qù tián li gōng zuò wū hòu yǒu yí gè fàng

爸爸去田里工作。屋后有一个放

jī qì de dà cāng kù lǐ miàn yǒu tuō lā jī hé

机器的大仓库，里面有拖拉机和

shōu gē jī hái yǒu kù fáng fàng zhe mǎ niú

收割机；还有库房，放着马、牛

hé yáng de shí wù

和羊的食物。

xiǎo mài huáng le quán jiā rén dōu dào dì li
小麦黄了，全家人都到地里
qù bāng máng jù dà de shōu gē jī huì gěi mài zi
去帮忙。巨大的收割机会给麦子
zì dòng tuō lì rén men bǎ mài lì zhuāng dào páng biān
自动脱粒，人们把麦粒装到旁边
de dà kǎ chē li mài gǎnr lì jí jiù bèi dǎ
的大卡车里，麦秆儿立即就被打
bāo chéng yí dà kǔn yí dà kǔn de liú zài dì li
包成一大捆一大捆的留在地里，
děng yǐ hòu zài yùn zǒu
等以后再运走。

mài zi shōu gē wán yǐ hòu dà jiā mǎ shàng
麦子收割完以后，大家马上
yòng tuō lā jī fān gēng mài tián rán hòu bǎ zhǒng zi
用拖拉机翻耕麦田，然后把种子
sǎ xia qu děng dài xīn de zhuāng jia zhǎng chu lai
撒下去，等待新的庄稼长出来。
yì nián yòu yì nián wǒ men tiān tiān chī de miàn bāo děng
一年又一年，我们天天吃的面包等
shí wù jiù shì zhè me lái de
食物就是这么来的。

guò jié shí zhēn nī quán jiā huì kāi chē qù
过节时，珍妮全家会开车去
zhèn shang gēn dà jiā yì qǐ qìng zhù jié rì jiē
镇上，跟大家一起庆祝节日。街
shang guà mǎn le guó qí gē shǒu huì lái chàng gē
上挂满了国旗，歌手会来唱歌，
hái yǒu bàng qiú bǐ sài dà jiā yǒu de kàn qiú
还有棒球比赛。大家有的看球，
yǒu de tīng gē dōu shí fēn kāi xīn cān guǎn hé
有的听歌，都十分开心。餐馆和
shāng diàn li yě hěn rè nao dà jiā hē jiǔ chī
商店里也很热闹，大家喝酒吃
cài tán huà shuō xiào
菜，谈话说笑。

hěn duō jiā tíng jǐ
很多家庭几

dài rén dōu zhù zài xiāng
代人都住在乡

cūn zài zhè li dà
村。在这里，大

jiā dōu shì hǎo lín jū
家都是好邻居，

yǒu shì qing hù xiāng bāng
有事情互相帮

máng zhēn ni hěn ài zì
忙。珍妮很爱自

jǐ de xiāng cūn zhī jiā
己的乡村之家。

1 这是一个宁静的乡村，遍地长着庄稼，春天有小麦，夏天有玉米和大豆。珍妮一家就住在这里。

2 珍妮家的房子不大，家里还住着爸爸、妈妈、哥哥和弟弟。珍妮和哥哥的学校很远，开车要很长时间才能到。每天早上，校车都会来接他们去上学。珍妮上三年级，哥哥上六年级。

3 白天，妈妈在家照看弟弟，爸爸去田里工作。屋后有一个放机器的大仓库，里面有拖拉机和收割机；还有库房，放着马、牛和羊的食物。

4 小麦黄了，全家人都到地里去帮忙。巨大的收割机会给麦子自动脱粒，人们把麦粒装到旁边的大卡车里，麦秆儿立即就被打包成一大捆一大捆的留在地里，等以后再运走。

5 麦子收割完以后，大家马上用拖拉机翻耕麦田，然后把种子撒下去，等待新的庄稼长出来。一年又一年，我们天天吃的面包等食物就是这么来的。

6 过节时，珍妮全家会开车去镇上，跟大家一起庆祝节日。街上挂满了国旗，歌手会来唱歌，还有棒球比赛。大家有的看球，有的听歌，都十分开心。餐馆和商店里也很热闹，大家喝酒吃菜，谈话说笑。

7 很多家庭几代人都住在乡村。在这里，大家都是好邻居，有事情互相帮忙。珍妮很爱自己的乡村之家。

1

2

3

4

5

6

看图讲故事

7